para Claire

Esta obra, editada en el marco del Programa de Ayuda a la Publicación,
ha contado con el apoyo del Ministerio de Relaciones Exteriores,
a través del Servicio Cultural de la Embajada de Francia en Venezuela

Cet ouvrage, publié dans le cadre du Programme d'Aide à la Publication,
bénéficie du soutien du Ministère des Affaires Etrangères,
par l'intermédiaire du Service Culturel de l'Ambassade de France au Venezuela

Al cerrarse los acantilados, en el curso superior del río, la corriente se hacía cada vez más impetuosa. Debimos descargar y llevar el equipaje con suma dificultad a lo largo de orillas escarpadas, halando a fuerza de brazos nuestros esquifes que se sacudían entre los escollos. Dos hombres perecieron en este infeliz incidente, atrapados por el torrente de aguas oscuras.

A medida que subíamos, los acantilados desaparecían bajo una vegetación exuberante. La selva nos sumergía en miasmas fétidas, saturadas de pesados olores de humus y moho. Un tigre rondaba sobre el margen escarpado, dirigiéndonos de vez en cuando un rugido reprobador; luego desaparecía en la espesura del monte.

Navegamos cerca de quince días en la penumbra de este túnel de verdor. El curso del río estaba obstruido por ramas rotas. Flotaban maderos medio podridos y colgaban lianas como siniestras cabelleras. Los hombres resoplaban agotados. Envié de vuelta en las barcas el grueso de la tropa y continué a pie con los más valientes, no sin prometerles una prima substancial.

En un pueblo perdido pudimos descansar un poco. Allí adquirí tres búfalos mansos a cambio de dos aguerridos fusiles y un barrilillo de pólvora. A pesar del alivio en la carga del equipaje avanzábamos con grandes dificultades. Las jornadas, iguales y sombrías, se sucedían en una atmósfera húmeda de vivero. Debíamos a cada momento trepar raíces pegajosas, deslizarnos sobre piedras filosas, chapotear en ciénagas infestadas de sanguijuelas, resistir las picadas de mosquitos y hormigas… La expedición se volvía un calvario.

El levantamiento topográfico del valle me tomó un mes entero. Enumeré cerca de ciento diez esqueletos, aunque supuse que la tierra conservaba todavía más. Algunos cráneos estaban coronados por sorprendentes sombreros de piedra, lo que indicaba que habían sido objeto de ceremonias rituales. El conjunto debía datar de tres o cuatro mil años atrás. La causa de la extinción de este pueblo permanecía como un misterio por aclarar.

Al noreste, el valle se curvaba para elevarse hasta una especie de meseta. Subí peldaño tras peldaño los escalones de este anfiteatro ciclópeo. Desde hacía tiempo me alimentaba sólo de líquenes y raíces con un poco de azúcar y bebía el agua acumulada en las concavidades de los peñascos. Estaba tan agotado que perdí toda noción del tiempo y cuando llegué a la meseta me encontraba en un estado cuasi-sonámbulo. Enormes pilares parecían sostener el cielo. Sin fuerzas, me sumergí en un profundo sueño.

La tierra se puso a temblar ligeramente, pero yo estaba demasiado débil para reaccionar. Un sol frío me hizo levantar las pupilas, antes de eclipsarse en la sombra de uno de estos pilares de piedra. ¡Horror!, uno se inclinó hacia mí. Cantaba con una voz increíblemente dulce. ¿Habría perdido mis facultades? ¿Era esto un sueño?, ¿una alucinación?

Una angustia incontenible me oprimía el pecho. Ni una palabra, ni un grito llegaba a cruzar mis labios paralizados. Pronto mi cuerpo debilitado se estremeció bajo el dominio de la fiebre.

Algo me levantó por los aires. Cuatro cabezas enormes, completamente tatuadas, me contemplaban con insistencia. Entonces perdí el conocimiento.

Cuando recobré mis fuerzas, sin duda mucho más tarde, constaté que toda esta pesadilla había dado lugar al más bello de los sueños. Ante mí se extendía el país de los gigantes.

Debieron haberme cuidado mucho, ya que todo cansancio me había abandonado. Al contrario, me sentía en un estado de bienestar absoluto y encontraba casi natural el estar al lado de estos colosos con voz de sirena que me habían acogido con tanta benevolencia. No podía, en adelante, sino conocerlos y comprenderlos. Una tarea a la altura de Archibald Leopold Ruthmore, si lo miramos bien…

Desde el principio de nuestro encuentro, los gigantes me cuidaron como a un niño. Recuerdo nuestros primeros intercambios, luego de interminables veladas: durante noches enteras sus voces se entremezclaban para llamar una a una las estrellas. Una melodía fluida, compleja, repetitiva, un tejido maravilloso de notas graves, profundas, adornado de tenues variaciones, de trinos depurados, de vuelos cristalinos. Música celeste, infinitamente sutil, que sólo un oído distraído hubiera encontrado monótona y que transportaba mi alma más allá de los límites del entendimiento. Yo era, por suerte y de mucho tiempo atrás, un atento observador de los movimientos de los astros y de la bóveda celeste. Así, emprendí una especie de diccionario bilingüe en el que asigné a cada constelación la frase musical que le correspondía.

Ellos eran nueve, cinco gigantes machos y cuatro hembras. Tatuados de la cabeza a los pies, incluidos la lengua y los dientes, con una maraña delirante de trazos, de volutas, de lazos, de espirales y de punteados de extrema complejidad. A la larga, se podían discernir, emergiendo de ese laberinto fantástico, algunas imágenes reconocibles: árboles, plantas, animales, flores, ríos, océanos. Un verdadero canto de la tierra cuya aparición dibujada respondía a la música de sus nocturnas invocaciones celestes. ¡Y decir que apenas me quedaban dos cuadernos para representar todo aquello! Debí escribir y dibujar tan finamente que las páginas de mis cuadernos parecían pieles de gigante.

Ellos mismos se divertían viéndome trabajar. Era un espectáculo que no los cansaba. Comprendí entonces que ninguno sabía dibujar.

¿De dónde venían esos grabados que iban de las plantas de los pies hasta la cima de sus cráneos? Había reparado, entre las figuras que decoraban la larga espalda de Antala, el más grande de los gigantes, nueve siluetas humanas que interpreté como una representación de su pueblo. Y por allí, un décimo personaje se dibujaba en medio de ellas, al principio impreciso, luego cada vez más discernible. Más pequeño que los otros, llevaba un sombrero de copa...

Además, sus pieles parecían reaccionar a las más ínfimas variaciones de la atmósfera: se estremecían al menor soplido del viento, ofrecían visos de resplandores bajo el sol, temblaban como la superficie de un lago o tomaban los matices sombríos del océano en tempestad. Comprendí entonces por qué a veces me miraban con piedad. Además de mi tamaño, era mi piel muda la que los afligía: yo era un ser sin palabra.

Comían muy raramente. Se alimentaban con plantas, tierra o piedras. Yo reía al mirarlos hacer sus delicias a partir de una milhojas de pizarra salpicada de mica o un trozo de roca calcárea recubierto de una mirada golosa.

Los gigantes me señalaron las plantas comestibles que fueron mi dieta durante casi un año. Sobre todo, me daban de comer un hervido cuya prepación procuraron mantener en secreto. Esta sopa se sedimentaba en la lengua como el barro de un gran río, quemaba como la lava de un volcán y dejaba en la boca un gusto como de humus del bosque. El ingrediente principal era la «hierba de gigantes», una planta inclasificable que ya había visto una vez torpemente reproducida en un viejo libro. Enumeré cuatro especies que me apresté a bautizar: *Mandragora gigas Ruthmora, Mandragora gigas Archibalda, Mandragora gigas Leopoldia, Mandragora gigas Amelia...*

Para el invierno, me construyeron una cabaña de rocas y me dieron, a modo de cobija, un trozo de uno de sus inverosímiles abrigos tejidos de plantas, de musgos y cortezas de todo tipo. Cayendo en cascada desde sus vastos hombros, estos abrigos daban a sus siluetas una apariencia de rocas cubiertas de oscura vegetación. Llevaban como alhajas pesados bloques de ámbar y nunca se separaban de esos enormes mazos hechos de troncos de árboles fosilizados.

Sus orígenes me sumergían en los abismos de la perplejidad. ¿Eran ellos los últimos descendientes del linaje de los atlantes? ¿Por qué no tenían hijos? ¿Tendrían, en alguna comarca inaccesible, algunos parientes alejados?

Conté sobre la piel de Geol, constelada de estrellas y objetos celestes, cuarenta y una apariciones del cometa Halley, lo que le acreditaba una existencia de más de tres mil años. Identifiqué las estrías regulares que ornaban sus muñecas como períodos de vigilia y de sueño. Según mis cálculos, los gigantes dormían cerca de doscientos años por cada período de vigilia, que no sobrepasaba los tres años.

En la primavera, durante días y días, los vi medirse en justas corteses, cada uno haciendo gala de habilidad, de agilidad, de fuerza y brillo, bajo los estímulos cantados del resto de la tribu. Había lanzamientos de rocas, concursos de saltos, de danza o de lucha. Durante la noche celebraban alegremente el ciclo de la estaciones, el curso de los astros, las bodas que sin cesar contraían el agua, la tierra, el aire y el fuego.

Parecían perfecta e inmutablemente felices. Pero yo terminé por cansarme de estos cantos demasiado melodiosos, de estos alardes interminables en los que, evidentemente, no podía tomar parte. Mi mirada se perdía más allá de las cimas resplandecientes, buscando en vano el gris perla de los cielos londinenses. Había pasado cerca de diez meses entre ellos.

Mis amigos gigantes percibieron sin rencor mi cambio de humor. Ellos mismos deseaban ponerme sobre el camino de regreso, ya que después de las justas debía venir el tiempo de los juegos del amor. Luego dormirían profundamente, apoyados sobre sus enormes mazos, con sus cabezas colosales tocando el cielo azulado o desapareciendo en la bruma de nubes, y sus pupilas cerradas sobre interminables sueños. Vino el momento del adiós. Cada uno me había regalado un pequeño pedazo de ámbar dorado al que atribuían, parece ser, una preciosa virtud mágica. Yo le entregué a cada uno una estatuilla de arcilla modelada suspendida por un cordón. Era aquella silueta ridícula cubierta con un sombrero de copa que tan a menudo les había hecho reír. Antala y Geol fueron encargados de acompañarme tan lejos como les fuera posible. Me volví una última vez hacia mis amigos con los ojos bañados en lágrimas.

Según mis cálculos, podíamos llegar cómodamente, atravesando las altas mesetas tibetanas, hasta las estepas del Asia central. Encaramado sobre sus hombros, veía desfilar el paisaje cuarenta pies más abajo. Bajo cada una de sus zancadas hubiera podido anidarse un pueblo entero.

Caminaban de noche, rápidos y silenciosos como nubes empujadas por el viento. Durante el día se acostaban, tomando así el aspecto de una colina o una roca cubierta de musgo. Una noche los gigantes divisaron una caravana que se dirigía directo hacia nosotros. Me pusieron en la mano algunas pepitas de oro y aún recuerdo mi sorpresa: ¿cómo podían ellos conocer el uso que le dan los hombres a este metal precioso? Me despedí con tristeza. Sobre la mejilla de Antala se deslizó una gruesa lágrima.

Oí el rumor de la caravana mucho antes de verla acercarse. Era como una ciudad en marcha, una multitud ahogada en una nube de polvo. Al acercarse, distinguí la masa oscura y oscilante de los camellos fuertemente cargados, montados por jinetes arropados con espesos abrigos.

A ratos, un jinete se separaba al galope para devolver a la manada a un animal extraviado, a un cordero recién nacido o una vieja bestia obstinada. Algún otro llegaba a todo galope desde el horizonte, de pie sobre su pequeño caballo peludo, mostrando el botín de una cacería solitaria. Y todo esto bramaba, aullaba, mugía, eructaba, gritaba, rumiaba en efluvios de sudor acre, de estiércol, de cuero y de leche cuajada, bajo una capa de aire manchado de moscas y mosquitos. Había regresado al mundo de los hombres.

No tuve ninguna dificultad, dado el estado de mi bolsillo, en procurarme caballo y equipaje. Acompañé a la caravana por cerca de setecientas millas a través de las estepas, para después virar hacia Irkoutsk, donde tenía un amigo corresponsal listo para recibirme. Quería regresar cuanto antes a Inglaterra. Por más que mi amigo me describió los mil y un peligros de atravesar Siberia a principios del invierno, no cedí en nada. Tanto, que terminó por procurarame caballos, trineo, cochero y los indispensables salvoconductos para evitar cualquier curiosidad malévola de parte de las autoridades. Llegué a Moscú y luego a San Petersburgo en tiempo récord y tomé, tan pronto como las condiciones lo permitieron, el primer barco para Inglaterra.

Fue con una alegría indescriptible como atravesé el umbral de mi querida casa, exactamente dos años, siete meses, tres semanas y cinco días después de haberla dejado. Amelia cayó en mis brazos con las mejillas bañadas en lágrimas. La tranquilicé acerca de mi delgadez y mi curtido semblante, asegurándole que me sentía mejor que nunca.

Desde el día siguiente, Archibald Leopold Ruthmore se puso a trabajar. Todo el mundo se sorprendió con mi silencio, con mis rechazos reiterados a cualquier invitación mundana, con mi puerta obstinadamente trancada a cualquier visita inoportuna. El mundo retomaba la tranquilizadora dimensión de mi biblioteca, el reloj desgranaba las horas y mi pluma volaba sobre el papel.

La obra apareció el 18 de agosto de 1858, compuesta de nueve tomos. Los dos primeros volúmenes trazaban un estudio completo y comentado de los mitos y leyendas referentes a los gigantes: titanes, atlantes, cíclopes, patagones, etc. Un tercer volumen recogía testimonios y relatos de viajes donde afloraban indicios de la existencia de pueblos de gigantes. En el cuarto y quinto volumen, retomaba mi propia relación describiendo la tribu que había descubierto. Detallé sus conductas y costumbres. Un diccionario de tres mil «palabras cantadas» permitía hacerse una idea de su lenguaje musical. Al final, recurrí a los mejores grabadores de Inglaterra para los cuatro tomos de ilustraciones y velé con celoso cuidado por la exacta reproducción de mis dibujos.

Archibald Leopold
RUTHMORE

VIAJE
AL PAIS
DE LOS
GIGANTES

MDCCCLVIII

La obra conoció un éxito considerable a pesar de la oposición encarnizada de la comunidad científica. El club de exploradores del que yo era miembro desde hacía años, me cerró sus puertas; la Real Sociedad de Geografía me incluyó en su Indice. En cuanto a los periódicos, estos tomaban partido ruidosamente a fuerza de grandes titulares: «¡Charlatán!», «¿Explorador del siglo?».

No afirmaré aquí que estuviera contento con todo este lodo removido por el rencor, la envidia y la ignorancia... Pero me consolaba pensando que todo gran explorador se topa invariablemente con la cólera o el desprecio de sus contemporáneos. Amistades que creía sólidas se ensombrecieron en esta tormenta. Tuve, sin embargo, la buena fortuna de recibir el apoyo de eminentes colegas. Hasta el propio Charles Darwin me escribió para asegurarme su apoyo y su afecto. Francia me ofreció una cátedra de «gigantropología», creada especialmente para mí en la Sorbona. La decliné, así como la medalla que un ministro parisino se empeñaba en colgar de mi levita.

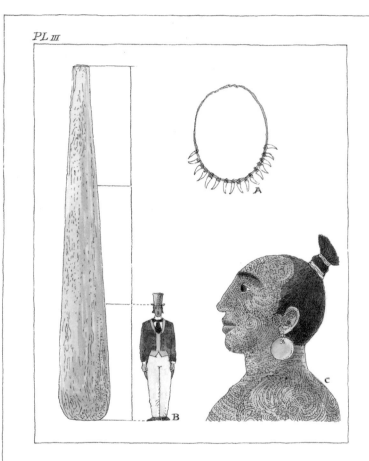

A

B

C

Mandragora G. Ruthmora

Se me combatía en todos los frentes; imposible: un sueño de varios siglos sin una disminución mortal de las funciones vitales; una carcajada: un pueblo perdido de sólo nueve personas; pura fabulación: una piel que produce ella misma sus propios tatuajes; ¿y qué decir de esas danzas y esos simulacros de combate capaces de perturbar la rotación del globo o desencadenar terremotos en serie...?

Pero todas estas recriminaciones, estas polémicas sin fin, no hicieron sino reafirmar mi determinación. Yo les abriría los ojos a estos enanos confitados en sus pequeños saberes adulterados: se lo debía a la Verdad, al Honor de la Ciencia. Terminarían por escucharme, a mí, a Archibald Leopold Ruthmore, descubridor y portavoz de los gigantes de los valles altos.

Pl. XI

A

B

Pl. XII

A

B

C

Entablé entonces una serie de conferencias a través del país. Entraba en anfiteatros abarrotados, saludado por un trueno de aplausos y silbidos. Oleadas de protestas encallaban al pie de mi podio, volaban los sombreros, las peleas estallaban. Solía escaparme por puertas ocultas con la protección de las policías locales.

Por invitación del alcalde de Nueva York me presenté en los Estados Unidos para defender mi tesis frente a una audiencia de sabios. Fue un triunfo. Todos estaban dispuestos a creerme, a ayudarme, a alentarme. Los fondos fluyeron y pronto tuve suficiente dinero para organizar una segunda expedición.

Para mi segundo viaje un colega me acompañó, así como un joven dibujante tentado por la aventura. En Martabán, nuestra llegada provocó gran revuelo. Mi reputación nos había precedido. El sur de Birmania había pasado a dominio inglés y mi amigo, el contrabandista, supo sacarle lo mejor a la situación. Se encargó de organizar una pequeña fiesta. Los notables de la ciudad me recibieron en el muelle, todos querían saludarme efusivamente. Rodeado, sacudido, empujado, fui llevado a la tribuna de honor: una sorpresa me esperaba.

Vi avanzar hacia mí, en medio del sonido de las trompas, del redoble de los tambores, la bella y noble cabeza del gigante Antala encaramada sobre una carreta que halaban tres yuntas de bueyes.

De pronto no escuché más nada de aquel tumulto. Un silencio abismal de rebelión, de horror y dolor me envolvió. Y entonces oí, desde el fondo de ese abismo de tristeza, una voz melodiosa —¡ah, reconocía aquella voz!— me reclamaba en su bella lengua musical: «¿No pudiste haber guardado el secreto?»

Me acompañaron de buena gana hasta el país que tan difícilmente había descubierto. Un camino recién abierto a través de la selva nos condujo. La gente se atareaba alrededor de los cuerpos de mis amigos, gigantescos e insignificantes como esqueletos de ballenas encalladas. Había allí falsos sabios, verdaderos bandidos y traficantes de toda especie. Cada uno esperaba sacar ventaja de estos despojos ante algún museo lejano. Debí batallar duro para que fueran sepultados en su valle: mi cólera y mi dolor fueron tan violentos que nadie osó oponerse.

Con el corazón abatido, contemplé una vez más sus suntuosas pieles tornasoladas. No tardarían en desaparecer, como los colores de esos peces brillantes de los mares de coral, que se esfuman una vez fuera del agua. Se llevaban con ellos sus más bellos secretos y también nuestra amistad traicionada. En el fondo de mí, contemplaba cómo mi obstinación estúpida en querer revelar el dulce secreto de sus existencias era la causa de esta espantosa desgracia. Mis libros los mataron más eficazmente que cualquier batallón de artillería. Nueve gigantes soñadores de estrellas y un pequeño ser cegado por su deseo de gloria: esa era toda nuestra historia.

Hoy, Archibald Leopold Ruthmore no escribe más. Regaló todos sus libros y Amelia dispone desde entonces de su casa y del resto de sus bienes. Se hizo marinero, simple marino mercante, no deseando otro horizonte que el mar y el cielo. Sus pies tienen llagas, sus manos se volvieron callosas a fuerza de atar cabos. Su caminar lleva siempre el movimiento balanceado de los barcos.

En cada puerto se ha hecho tatuar en el cuerpo algún cuento, alguna leyenda o una canción. Y durante la noche, de vez en cuando se le encuentra en el malecón, rodeado de niños que lo miran fijamente. Él les cuenta sus innumerables viajes, las bellezas del océano y la tierra. Pero jamás les habla del extraño objeto que guarda en el fondo de su cofre de marino: un diente de gigante.

ISBN 980-257-235-7
HECHO EL DEPÓSITO DE LEY
Depósito Legal lf 15119988002113
Impreso en España, 1998